义务教育课程标准实验教科书

语 文

二年级(下册)

学校＿＿＿＿＿＿＿＿

班级＿＿＿＿＿＿＿＿

姓名＿＿＿＿＿＿＿＿

编写说明

一　本册课本是根据《全日制义务教育语文课程标准（实验稿）》编写的，供二年级（下学期）学生使用。

二　本册课本安排了"培养良好的学习习惯（4）"，意在培养学生勤查字典、主动识字的良好习惯。

三　各课的生字分为两组：第一组要求学生能识会写，排印在田字格内，第二组只要求学生认识，排在两条绿线内。常用的多音字出现另一读音时，列入第二组生字中，在其右上角加＊，以示区别。

容易出现笔顺错误的生字，根据国家语委的有关规定展示了书写笔顺。

四　课文后面的练习突出了朗读、背诵、写字和读抄词语等内容。单元练习突出了综合性的特点，内容包括字词句练习、写字、读读背背、口语交际等，意在丰富语文教育的内涵，增加学生的语言积累，提高他们的语文实践能力。

五　本册课本配有相应的教学参考书、教学挂图、备课手册、习字册、生字卡片、自读课本、教学录音磁带和投影片，以供教学使用。

本书如有不当之处，请广大师生提出意见，以便修订时参考。

目　录

目 录

＊ 本册课本图片协拍单位：南京市游府西街小学

勤查字典

主动识字

1

chūn jié	jiǎo zi	bài nián
春节	饺子	拜年

qīng míng	sǎo mù	tà qīng
清明	扫墓	踏青

duān wǔ	zòng zi	lóng zhōu
端午	粽子	龙舟

zhōng qiū	tuán yuán	yuè bing
中秋	团圆	月饼

jiǎo	bài	sǎo	mù
饺	拜	扫	墓

tà	duān	tuán	yuán	bǐng
踏	端	团	圆	饼

饺	拜	扫	墓

踏	端	团	圆	饼

2

bì shuǐ　　xiù fēng　　dào yǐng
碧水　　秀峰　　倒影

duì gē　　róng shù　　zhuàng xiāng
对歌　　榕树　　壮乡

xiàng bí　　luò tuo　　bǐ jià
象鼻　　骆驼　　笔架

zhú fá　　lú cí　　huà láng
竹筏　　鸬鹚　　画廊

róng fá
榕筏

bì	fēng	yǐng	bí	luò	tuó	jià	láng
碧	峰	影	鼻	骆	驼	架	廊

碧	峰	影	鼻	骆	驼	架	廊

3

	米	木
	不	禾

sōng bǎi
松柏

yáng liǔ
杨柳

zhuō yǐ
桌椅

yāng miáo
秧苗

dào gǔ
稻谷

zhuāng jia
庄稼

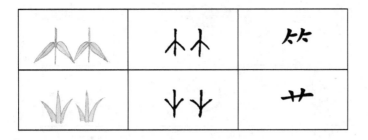	朴朴	竹
	↓↓	艹

zhú lán	luó kuāng	kuài zi
竹篮	箩筐	筷子

chá yè	bō luó	lán huā
茶叶	菠萝	兰花

kuài
筷

bǎi	yáng	liǔ	yǐ
柏	杨	柳	椅

yāng	lán	chá	bō	luó
秧	篮	茶	菠	萝

柏	杨	柳	椅

秧	篮	茶	菠	萝

4

☀	⊙	日
👁	👁	目

qíng kōng　　wēn nuǎn　　liàng shài
晴空　　温暖　　晾晒

yǎn jing　　miáo zhǔn　　tiào wàng
眼睛　　瞄准　　眺望

	仌	冫
	川	氵

<table>
<tr><td>hán lěng
寒冷</td><td>dòng jié
冻结</td><td>bīng xuě
冰雪</td></tr>
</table>

<table>
<tr><td>dōng hǎi
东海</td><td>huáng hé
黄河</td><td>cháng jiāng
长江</td></tr>
</table>

liàng jié
晾结*

shài	miáo	dòng
晒	瞄	冻
晒	瞄	冻

认清笔顺

拜	ノ	二	三	手	手	手	拜			
饼	饣	饣	饣	饤	饬	饼				
墓	艹	艹	艹	苩	苩	草	苎	莫	莫	莫	墓
廊	广	广	庁	庐	庐	庐	廊	廊	廊	
鼻	白	自	鸟	鸟	鼻	畠	畠	鼻	鼻	
影	日	日	旦	早	昇	昙	景	景	景	影
杨	木	杕	杨	杨						
柳	木	木	杧	杊	柳	柳				
秧	禾	禾	和	和	秧	秧				
萝	艹	艹	艹	艹	茜	茜	萝	萝	萝	
篮	竹	竻	竻	竻	竻	笘	笘	篂	篮	篮
冻	冫	冻	冻	冻						
晒	日	旷	旷	晒	晒	晒				
瞄	目	盯	盯	盽	盽	盽	睄	瞄	瞄	

学用字词句

● 读一读对话，学习部首查字法。

老师，我要查"椅"字，该怎么提取部首呢？

许多字可以分为两部分，哪部分是部首就到哪个部首里去查。如"椅"字可以分解为"木"和"奇"，"木"是部首，就到"木"部里去查。

如果两个部分都是部首呢？

那就从字的左、上、外位置来提取部首。如"苇"字取上不取下，"取"字取左不取右，"困"字取外不取内。

● 小猴读童话，下面的几个字不认识，请你帮他查字典。

生　字	应查的部首	总的笔画数	读　音
腔			
粮			
酣			
敲			

● 结合句子给小猴讲讲生字的意思。

1 小象夜里发烧，大夫检查他的口腔，发现喉咙又红又肿。

2 小象家的囤里盛满了粮食。

3 小猪睡得正酣，小象背着粮食来敲门了。

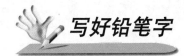

写好铅笔字

拜	拜	拜	拜		
瞄	瞄	瞄	瞄		
鼻	鼻	鼻	鼻		

小问号：

横多的字，该怎样写才好看？

读读背背

zhāng dēng jié cǎi
张 灯 结 彩

huān jù yì táng
欢 聚 一 堂

pǔ tiān tóng qìng
普 天 同 庆

xǐ qì yáng yáng
喜 气 洋 洋

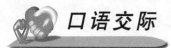 口语交际

说话要注意姿势

看图，说说下面图中的小朋友在什么地方跟谁说话，说话姿势是不是正确，为什么？

1 古诗两首
gǔ shī liǎng shǒu

春雨
chūn yǔ

好　雨　知　时　节　，
hǎo yǔ zhī shí jié

当　春　乃　发　生　。
dāng chūn nǎi fā shēng

随　风　潜　入　夜　，
suí fēng qián rù yè

润　物　细　无　声　。
rùn wù xì wú shēng

作者杜甫。

春晓
chūn xiǎo

chūn mián bù jué xiǎo
春 眠 不 觉 晓 ，

chù chù wén tí niǎo
处 处 闻 啼 鸟 。

yè lái fēng yǔ shēng
夜 来 风 雨 声 ，

huā luò zhī duō shǎo
花 落 知 多 少 。

作者孟浩然。

jué	tí
觉*	啼

nǎi	suí	qián	rùn	xì	xiǎo	mián
乃	随	潜	润	细	晓	眠

1　朗读课文，背诵课文。

2　按笔顺描红。

乃	晓	随	细	眠	润	潜

3　搜集几首描写春天的古诗，读一读。

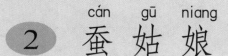

2 蚕姑娘

chūn tiān tiān qì nuǎn yáng yáng　　cán luǎn li
春天天气暖洋洋，蚕卵里
zuān chu cán gū niang
钻出蚕姑娘。

yòu hēi yòu xiǎo de cán gū niang　　chī le
又黑又小的蚕姑娘，吃了
jǐ tiān sāng yè　　jiù shuì zài cán chuáng shang bù
几天桑叶，就睡在蚕床上，不
chī yě bú dòng　　tuō xia hēi yī shang xǐng le
吃也不动，脱下黑衣裳。醒了，
xǐng le　　biàn chéng huáng gū niang
醒了，变成黄姑娘。

yòu huáng yòu shòu de cán gū niang　　chī le
又黄又瘦的蚕姑娘，吃了
jǐ tiān sāng yè　　yòu shuì zài cán chuáng shang bù
几天桑叶，又睡在蚕床上，不
chī yě bú dòng　　tuō xia huáng yī shang　　xǐng le
吃也不动，脱下黄衣裳。醒了，
xǐng le　　biàn chéng bái gū niang
醒了，变成白姑娘。

yòu bái yòu nèn de cán gū niang　　chī le
又白又嫩的蚕姑娘，吃了

jǐ tiān sāng yè　　yòu shuì zài cán chuáng shang　　bù
几天桑叶，又睡在蚕床上，不

chī yě bú dòng tuō xia jiù yī shang huàn shang xīn
吃也不动，脱下旧衣裳，换上新

yī shang　　xǐng le　　xǐng le　　cóng cǐ yì tiān
衣裳。醒了，醒了，从此一天

tiān fā pàng
天发胖。

yòu bái yòu pàng de cán gū niang　　chī le
又白又胖的蚕姑娘，吃了

jǐ tiān sāng yè　yòu shuì zài cán chuáng shang　　bù
几天桑叶，又睡在蚕床上，不

chī yě bú dòng tuō xia jiù yī shang huàn shang xīn
吃也不动，脱下旧衣裳，换上新

yī shang　　xǐng le　　xǐng le　　cóng cǐ yì tiān
衣裳。醒了，醒了，从此一天

tiān fā liàng
天 发 亮。

shuì le sì huí de cán gū niang   chī le
睡 了 四 回 的 蚕 姑 娘， 吃 了

jǐ tiān de sāng yè   jiù pá dào cán shān shang
几 天 的 桑 叶， 就 爬 到 蚕 山 上，

tǔ chu sī er lai   yào gài xīn de fáng   chéng
吐 出 丝 儿 来， 要 盖 新 的 房。 成

le chéng le   jiǎn zi zhēn piào liang
了，成 了，茧 子 真 漂 亮。

jiǎn zi lǐ miàn de cán gū niang
茧 子 里 面 的 蚕 姑 娘，

yì shēng yě bù xiǎng   guò le hǎo jǐ
一 声 也 不 响， 过 了 好 几

tiān   jiǎn zi kāi le chuāng   biàn le
天，茧 子 开 了 窗。 变 了，

biàn le   biàn chéng é gū niang
变 了，变 成 蛾 姑 娘。

luǎn shang shòu jiǎn é
卵 裳 瘦 茧 蛾

cán	gū	niáng	sāng	jiù	huàn	pàng	gài	xiǎng
蚕	姑	娘	桑	旧	换	胖	盖	响

1　朗读课文，背诵课文。

2　按笔顺描红。

换	扌	扩	抒	护	护	挟	换

桑	フ	ヌ	ヌ	곳	굣	叒	桑

换	桑	旧	姑	响	胖	蚕	娘	盖

3　读读词语。

衣裳　蚕姑娘　又黑又小　又白又嫩
漂亮　暖洋洋　又黄又瘦　又白又胖

4　读读句子。

(1) 蚕姑娘脱下旧衣裳。

　　蚕姑娘换上新衣裳。

　　蚕姑娘脱下旧衣裳，换上新衣裳。

(2) 蚕姑娘吐出丝儿来。

　　蚕姑娘要盖新的房。

　　蚕姑娘吐出丝儿来，要盖新的房。

3 月亮湾

我的家在月亮湾，月亮湾是个美丽的村子。

村子的前面有一条月牙一样的小河，河上有一座石桥。河水绕着村子缓缓地流着，一群群鱼儿在河里游来游去。清清的河水倒映着小桥、绿树和

qīng shān　　　　hé àn shang zhǎng zhe xǔ duō táo shù
青山。河岸上长着许多桃树。

chūn tiān　　shù shang kāi mǎn le táo huā　yuǎn yuǎn wàng
春天，树上开满了桃花，远远望

qù　xiàng yí piàn càn làn de zhāo xiá　　　guò le
去，像一片灿烂的朝霞。　过了

qiáo　shì yí piàn lù yóu yóu de nóng tián
桥，是一片绿油油的农田。

cūn zi de hòu mian shì shān　　shān pō shang
村子的后面是山。　山坡上

yǒu yí piàn chá shù　　chá yuán li bù shí piāo lái
有一片茶树。　茶园里不时飘来

cǎi chá gū niang huān kuài de xiào shēng
采茶姑娘欢快的笑声。

卓

wān	rào	huǎn	yìng	xiàng	làn	zhāo	pō
湾	绕	缓	映	像	烂	朝	坡

1 朗读课文,背诵课文。

2 说说下面偏旁的名称，再按笔顺描红 。

绕	纟	纟	纠	线	纺	绔	绕

卓	朝	一	十	十	占	卓	卓	卓	朝

湾	氵	氵	沪	沪	沪	沔	泝	渷	湾	湾

绕	朝	湾	坡	映	烂	缓	像

3 读读，抄抄，再听写。

绕　山坡　倒映　月亮湾　缓缓地
流　桃花　不时　绿油油　清清的

4 读读句子。

(1) 河水倒映着小桥、绿树和青山。
　　清清的河水倒映着小桥、绿树和青山。

(2) 过了桥，是一片农田。
　　过了桥，是一片绿油油的农田。

5 你的家乡哪儿最美？试着画一画，再向同学们作介绍 。

kuài lè de jié rì

4 快乐的节日

xiǎo niǎo zài qián mian dài lù
小鸟在前面带路，

fēng er chuī zhe wǒ men
风儿吹着我们。

wǒ men xiàng chūn tiān yí yàng
我们像春天一样，

lái dào huā yuán li　lái dào cǎo dì shang
来到花园里，来到草地上。

xiān yàn de hóng lǐng jīn　měi lì de yī shang
鲜艳的红领巾，美丽的衣裳，

xiàng duǒ duǒ huā er kāi fàng
像朵朵花儿开放。

huā er xiàng wǒ men diǎn tóu
花儿向我们点头，

bái yáng shù huā lā lā de xiǎng
白杨树哗啦啦地响。

tā men tóng měi lì de xiǎo niǎo
它们同美丽的小鸟，

作者管桦。

xiàng wǒ men zhù hè xiàng wǒ men gē chàng
向我们祝贺，向我们歌唱。

tā men dōu shuō yǒu le wǒ men
它们都说有了我们，

kě ài de zǔ guó jiù gèng yǒu xī wàng
可爱的祖国就更有希望。

gǎn xiè qīn ài de zǔ guó
感谢亲爱的祖国，

ràng wǒ men jiàn kāng de chéng zhǎng
让我们健康地成长。

wǒ men xiàng xiǎo niǎo yí yàng
我们像小鸟一样，

děng shēn shang de yǔ máo zhǎng fēng mǎn
等身上的羽毛长丰满，

jiù yǒng gǎn de xiàng zhe gāo kōng fēi xiáng
就勇敢地向着高空飞翔，

fēi xiàng wǒ men de lǐ xiǎng
飞向我们的理想。

chàng a　　tiào a
唱啊，跳啊，

jìng ài de lǎo shī
敬爱的老师，

qīn ài de huǒ bàn
亲爱的伙伴，

wǒ men yì qǐ dù guò zhè kuài lè de shí guāng
我们一起度过这快乐的时光。

xiáng
翔

色

yàn	jīn	hè	ài	xī	jiàn	kāng	yǒng	gǎn	jìng
艳	巾	贺	爱	希	健	康	勇	敢	敬

1 朗读课文，背诵课文。

2 说说下面偏旁的名称，再按笔顺描红。

色　艳　一　二　三　丰　丯　兯　牟　牟　牟　艳

　　健　丿　亻　亻　亻　亻　亻　佳　健　健

　　爱　一　一　亻　亻　爫　爫　爫　严　爱　爱

艳 健 爱 巾 希 贺 勇 敢 康 敬

3 读读，抄抄，再听写。

祝贺　　敬爱　　丰满　　红领巾
歌唱　　希望　　健康　　白杨树

4 用部首查字法查"贺、希、勇"三个字。

练习 2

学用字词句

● 读一读对话，继续学习部首查字法。

学生　老师，"丰"字
　　　没法拆开，那
　　　么怎样找到它
　　　的部首呢？

老师　如果一个字
　　　不能拆开，分
　　　不清属于哪个
　　　部首，就可以按起笔的笔画归入

横（一）、竖（丨）、撇（丿）、
点（丶）、折（乛）部。"丰"字起笔
是横（一），就查"一"部。

● 这几个字的部首,小猴子实在找不出,只好请小朋友
来教他了。

生 字	应查的部首	总的笔画数	读 音
世			
义			
电			
书			
我			

写好铅笔字

巾	巾	巾	巾
盖	盖	盖	盖
端	端	端	端

小问号:
竖多的
字,该怎样
写才好看?

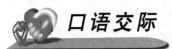

读读背背

bǎi huā shèng kāi　　zhēng qí dòu yàn
百 花 盛 开　　争 奇 斗 艳

wǔ cǎi bīn fēn　　sè sè jù quán
五 彩 缤 纷　　色 色 俱 全

口语交际

讲童话故事

　　班级举办一次"童话故事会"。每人准备一个童话故事，先在小组里讲，然后每组选出一个人在班上讲。选的童话不要长，要生动有趣。

5 雨后

嫩绿的树梢闪着金光，
广场上成了一片海洋！
水里一群赤脚的孩子，
快乐得好像神仙一样。

小哥哥使劲地踩着水，
把水花儿溅起多高。
他喊："妹，小心，滑！"
说着自己就滑了一跤！

他拍拍水淋淋的泥裤子，
嘴里说："糟糕——糟糕！"

作者冰心。

ér tā tōng hóng huān xǐ de liǎn shang
而 他 通 红 欢 喜 的 脸 上
què fā shè chū xīng fèn hé jiāo ào
却 发 射 出 兴 奋 和 骄 傲。

xiǎo mèi mei juē zhe liǎng tiáo duǎn cū de xiǎo biàn
小 妹 妹 撅 着 两 条 短 粗 的 小 辫,
jǐn jǐn gēn zài zhè ní kù zi hòu mian
紧 紧 跟 在 这 泥 裤 子 后 面,
tā yǎo zhe chún er
她 咬 着 唇 儿
tí zhe qún er
提 着 裙 儿
qīng qīng de xiǎo xīn de pǎo
轻 轻 地 小 心 地 跑,
xīn li què xī wàng zì jǐ
心 里 却 希 望 自 己
yě shuāi zhè me tòng kuài de yì jiāo
也 摔 这 么 痛 快 的 一 跤!

zāo gāo biàn chún
糟 糕 辫 唇

shāo	chì	jìn	mèi
梢	赤	劲	妹

身　　　矢

shè	fèn	duǎn	cū	yǎo
射	奋	短	粗	咬

1　朗读课文，背诵课文。

2　说说下面偏旁的名称，再按笔顺描红。

身　| 射 | ノ | ⺆ | ⺆ | 勹 | 身 | 身 | 身 | 射 | 射 |

矢　| 短 | ノ | ⺦ | ⺧ | 矢 | 矢 | 短 |

射	短	赤	劲

奋	妹	咬	梢	粗

3　读读，抄抄，再听写。

树梢　　兴奋　　发射
赤脚　　短粗　　使劲

6 谁的本领大
shéi de běn lǐng dà

　　有一天，风和太阳碰到了
yǒu yì tiān　　fēng hé tài yáng pèng dào le

一起，都说自己的本领大。正
yì qǐ　dōu shuō zì jǐ de běn lǐng dà　zhèng

巧，前面来了一个孩子。太阳
qiǎo　qián mian lái le yí ge hái zi　tài yáng

说："谁能脱下那孩子的外衣，
shuō　shéi néng tuō xia nà hái zi de wài yī

就算谁的本领大。"
jiù suàn shéi de běn lǐng dà

　　风说："那还不容易！"说着
fēng shuō　　nà hái bù róng yì　shuō zhe

就"呼呼"地吹起来，谁知孩子
jiù hū hū de chuī qi lai　shéi zhī hái zi

将外衣裹得更紧了。
jiāng wài yī guǒ de gèng jǐn le

太阳对风说:"看我的吧。"说着便发出强烈的光。那孩子觉得热极了,就把外衣脱了下来。

第二天,风和太阳又碰到了一起。太阳得意地对风说:"风先生,你还敢同我比本领吗?"

风看见河里来了一条船,就说:"谁能让那条船走得快些,就算谁的本领大。"

太阳说："这有什么难的！"

于是，它又发出强烈的光，想催船夫用力摇船。可是，太阳光越强，船夫越是热得难受，他哪儿再有力气摇船呢！

这时，风"呼呼"地吹了起来。船夫高兴地喊："起风了！快挂帆吧！"只见风推着帆，帆带着船，像箭一样飞快地前进。

太阳惊讶地说："风先生，你的本领也不小哇！"

cuī
催

běn	pèng	qiǎo	tuō	qiáng	xiē	shòu	guà	tuī
本	碰	巧	脱	强	些	受	挂	推

1　分角色朗读课文。

2　按笔顺描红。

受	ˊ	ˋ	ˊˋ	ˊˋˊ	ˊˋˊˋ	严	受	受
推	扌	扌	扩	扩	抴	拄	推	推

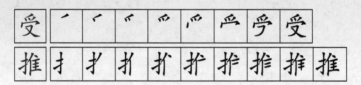

受　推　巧　本　些　挂　脱　强　碰

3　读读，抄抄，再听写。

推　难受　　本领　　碰到

挂　船夫　　正巧　　脱下

4　读一读，用带点的词说一句话。

(1) 那孩子觉得热极了，就把外衣脱了下来。

(2) 我觉得自己包的饺子特别好吃。

7 蜗牛的奖杯

很久很久以前，蜗牛可不像现在这个样子。它长着一对有力的翅膀，能在空中自由地飞翔。

在一次飞行比赛中，蜗牛遥遥领先，甩下了所有的对手：蜻蜓、蜜蜂、蝴蝶……捧走了冠军奖杯。

———————————

根据杨啸寓言诗《蜗牛的奖杯》改写。

cóng cǐ　　wō niú dé yì yáng yáng　　tā
从此，蜗牛得意洋洋。它

chéng tiān bǎ jiǎng bēi bēi zài shēn shang　　wéi kǒng bié
成天把奖杯背在身上，唯恐别

rén bù zhī dào tā shì fēi xíng guàn jūn　　dào le
人不知道它是飞行冠军。到了

wǎn shang　　wō niú jiù
晚上，蜗牛就

shuì zài jiǎng bēi li
睡在奖杯里，

shēng pà bèi bié rén
生怕被别人

tōu le qu　　kě shì
偷了去。可是，

zhè jiǎng bēi hěn dà
这奖杯很大

hěn zhòng　　wō niú bēi
很重，蜗牛背

shang tā　　zài yě fēi
上它，再也飞

bu dòng le
不动了。

tiān cháng rì jiǔ　　wō niú hé jiǎng bēi zhān
天长日久，蜗牛和奖杯粘

zài le yì qǐ　yí duì chì bǎng yě tuì huà le
在了一起，一对翅膀也退化了。

chén zhòng de jiǎng bēi biàn chéng le jiān yìng de wài ké
沉重的奖杯变成了坚硬的外壳，

wō niú zhǐ néng miǎn qiǎng de cóng yìng ké li shēn chu
蜗牛只能勉强地从硬壳里伸出

tóu lai　　zài dì shang màn màn de pá xíng
头来，在地上慢慢地爬行。

wō shuǎi hú dié guàn wéi kǒng qiǎng
蜗 甩 蝴 蝶 冠 唯 恐 强*

支

jiǎng	chì	bǎng	qīng	tíng
奖	翅	膀	蜻	蜓

mì	fēng	pà	jiān	yìng
蜜	蜂	怕	坚	硬

1 朗读课文。

2 说说下面偏旁的名称，再按笔顺描红。

| 怕 | 丶 | 丶 | 忄 | 忄 | 忄 | 怕 | 怕 | 怕 |

支 | 翅 | 一 | 十 | 艹 | 支 | 赵 | 赵 | 翅 | 翅 | 翅 |

| 怕 | 翅 | 坚 | 奖 | 硬 |
| 蜓 | 蜂 | 蜻 | 膀 | 蜜 |

3 读读，抄抄，再听写。

生怕　蜻蜓　爬行　一对翅膀
自由　蜜蜂　坚硬　天长日久

4 读读，想想，"唯恐"跟"生怕"的意思完全相同吗？

　　它成天把奖杯背在身上，唯恐别人不知道它是飞行冠军。到了晚上，蜗牛就睡在奖杯里，生怕被别人偷了去。

5 看到再也不能飞上天的蜗牛，你想对它说些什么？

8　狐假虎威
hú jiǎ hǔ wēi

　　在茂密的森林里，有只老
虎正在寻找食物。一只狐狸从
老虎身边窜过。老虎扑过去，把
狐狸逮住了。

　　狡猾的狐狸眼珠子骨碌一
转，扯着嗓子问老虎："你敢吃我？"

　　"为什么不敢？"老虎一愣。

　　"老天爷派我来管你们百兽，
你吃了我，就是违抗了老天爷

的命令。我看你有多大的胆子!"

老虎被蒙住了,松开了爪子。

狐狸摇了摇尾巴,说:"我带你到百兽面前走一趟,让你看看我的威风。"

老虎跟着狐狸朝森林深处走去。狐狸神气活现,摇头摆尾;老虎半信半疑,东张西望。

森林里的野猪啦,小鹿啦,兔子啦,看见狐狸大摇大摆地走过来,跟往常很不一样,都很纳闷。再往狐狸身后一看,呀,一只大老虎!

大大小小的

yě shòu xià de sā tuǐ jiù pǎo
野 兽 吓 得 撒 腿 就 跑。

yuán lái， hú li shì jiè zhe lǎo hǔ de
原 来 ， 狐 狸 是 借 着 老 虎 的

wēi fēng bǎ bǎi shòu xià pǎo de
威 风 把 百 兽 吓 跑 的。

cuàn jiǎo huá gū lù
窜 狡 猾 骨 碌

chě shòu wéi tàng cháo mèn
扯 兽 违 趟 朝* 闷

hú	jiǎ	hǔ	wēi	xún
狐	假	虎	威	寻

kàng	dǎn	zhuǎ	xià	jiè
抗	胆	爪	吓	借

1 朗读课文，复述课文。

2 按笔顺描红。

虎	丿	⺊	⺊	广	户	虍	虎	虎
威	一	厂	厂	反	反	反	威	威	威

虎	威	爪	吓	寻

抗	狐	胆	借	假

3 读读，抄抄，再听写。

威风 胆子 吓跑
寻找 爪子 松开

4 演一演。

"老虎跟着狐狸朝森林深处走去。狐狸神气活现，摇头摆尾；老虎半信半疑，东张西望。"看谁能把加点词语的意思表演出来。

练习 3

学用字词句

● 读读下面的街头牌匾，说说这些单位是干什么的。有

不认识的字查查字典。

证券大厦　皮肤病防治所

土产杂品公司批发部　　亚新美食城

● 你在课外也一定认识了不少字吧，大家交流一下。

写好铅笔字

峰	峰	峰	峰			
坡	坡	坡	坡			
吓	吓	吓	吓			

小提示：

　　左边的部首应写得小些，偏上些。

读读背背

bá shān shè shuǐ
跋 山 涉 水

cān fēng yǐn lù
餐 风 饮 露

shuǐ sòng shān yíng
水 送 山 迎

shǎng xīn yuè mù
赏 心 悦 目

口语交际

学 会 劝 阻

在公共场所，对不正确的行为应该用恰当的言语加以劝阻。想一想，在下面几种场合，江晓宁等人是怎样劝阻别人的？先说一说，再分角色表演。

9 mǔ qīn de ēn qíng
母亲的恩情

tángcháo yǒu ge shī rén　míng jiào mèngjiāo
唐朝有个诗人，名叫孟郊。

yǒu yí cì　tā yào chū yuǎn mén le　mǔ qīn máng
有一次，他要出远门了，母亲忙

zhe gěi tā féng bǔ yī shang　yè shēn le　mǔ qīn
着给他缝补衣裳。夜深了，母亲

hái zài yóu dēng xia yì zhēn zhēn yí xiàn xiàn de féng
还在油灯下一针针一线线地缝

zhe　tā xiǎng　hái ér zhè cì wài chū　hái bù
着。她想，孩儿这次外出，还不

zhī dào shén me shí hou cái néng huí lai
知道什么时候才能回来……

dì èr tiān qīng zǎo　mǔ qīn bǎ mèng jiāo
第二天清早，母亲把孟郊

sòng dào cūn wài　tā wàng zhe ér zi shuō　jiāo
送到村外。她望着儿子说："郊

er nǐ kě yào zǎo diǎn er huí lai ya　mèng
儿，你可要早点儿回来呀！"孟

jiāo tīng le bú zhù de diǎn tóu　tā kàn dào mǔ
郊听了不住地点头。他看到母

亲的头上又多了几根白发，眼睛湿润了。

太阳出来了，路边的小草更显得生机勃勃。孟郊抚摸着身上的衣服，注视着那又细又密的针脚，心里想，母亲的慈爱，不就像这春天里太阳的光辉吗？沐浴着阳光的小草，无论怎样都报答不了太阳的恩情啊！

cí mǔ shǒu zhōng xiàn yóu zǐ shēn shàng yī
慈 母 手 中 线，游 子 身 上 衣。

lín xíng mì mì féng yì kǒng chí chí guī
临 行 密 密 缝，意 恐 迟 迟 归。

shéi yán cùn cǎo xīn bào dé sān chūn huī
谁 言 寸 草 心，报 得 三 春 晖！

mǔ qīn de ēn qíng mèng jiāo yǒng yuǎn míng jì
母 亲 的 恩 情 孟 郊 永 远 铭 记

zài xīn jiù zài tā suì nà nián xiě chéng le
在 心，就 在 他 50 岁 那 年，写 成 了

zhè shǒu zhù míng de xiǎo shī yóu zǐ yín
这 首 著 名 的 小 诗《游 子 吟》。

mèng féng mù yù míng
孟 缝 沐 浴 铭

寸

ēn	bǔ	zhēn	gēn	fǔ	mō	bào	chí	cùn	yǒng
恩	补	针	根	抚	摸	报	迟	寸	永

1　朗读课文，背诵《游子吟》。

2　说说下面偏旁的名称，再按笔顺描红。

寸 | 寸 | 一 | 十 | 寸 |

永 | 永 | 丶 | 丁 | 丬 | 永 | 永 |

寸	永	抚	报	针

补	迟	根	恩	摸

3　读读词语。

湿润　恩情　抚摸　注视　慈爱

光辉　沐浴　报答　铭记　著名

4　读句子，用带点的词语写一句话。

母亲忙着给孟郊缝补衣裳。

蜜蜂忙着在花丛中采蜜。

5　联系课文内容，说说《游子吟》这首诗的意思。

10 沉香救母（一）

chén xiāng jiù mǔ

古时候，有个孩子叫沉香，一直跟着爸爸过日子，却从来没有见过妈妈。

一天，沉香问爸爸："我怎么没有妈妈呢？"爸爸叹了一口气，没有回答。沉香再三追问，爸爸才含着眼泪说出了真情。原来，沉香的妈妈是个美丽善良的女神，因为向往人间美好的生活，被二郎神压在了华山脚下。沉香听了，心里又难过又气愤，恨不得马上就去解救妈妈。

爸爸看出了儿子的心思，便说："二郎神心狠手辣，神通广大，你才是个 8 岁的孩子，怎么能对付得了他呢？"沉香望着苍老的爸爸，默默地攥紧了拳头。

不久，沉香就告别了爸爸，上山拜师学艺。不管是寒冬腊月，还是盛夏酷暑，他都起早贪黑地跟着师傅习武练功。有时累得腰酸背疼，很想松口气，但一想到

yào qù jiě jiù mā ma　　hún shēn jiù zēng tiān le
要 去 解 救 妈 妈， 浑 身 就 增 添 了

lì liang
力 量。

jǐ nián guò qu le　　chén xiāng zhōng yú liàn
几 年 过 去 了， 沉 香 终 于 练

jiù le yì shēn gāo qiáng de wǔ yì
就 了 一 身 高 强 的 武 艺。

là	quán	là	kù	shǔ	suān	téng	hún	zēng	tiān
辣	拳	腊	酷	暑	酸	疼	浑	增	添

tàn	hán	lèi	liáng	yīn
叹	含	泪	良	因

wèi	hèn	fù	gào	wǔ
为	恨	付	告	武

1 朗读课文。

2 按笔顺描红。

良	武	为	叹	付

因	告	含	泪	恨

3 读读词语。

心狠手辣　　寒冬腊月　　盛夏酷暑
起早贪黑　　习武练功　　腰酸背疼

4 读一读。

(1) 沉香一想到要去解救妈妈，浑身就增添了力量。

(2) 爸爸一看到电视上有足球赛，就来了劲。

11 沉香救母（二）

时光过得真快，转眼间沉香15岁了。他救母心切，便拜别了师傅，向着遥远的华山奔去。

一路上，沉香不知翻过了多少座高山，也不知跨过了多少道深涧。饿了就采几只野果充饥，渴了就捧几口泉水喝喝。脚上磨出了一个个血泡，身上划下了一道道血痕，他一点儿也不在乎。

沉香的孝心感动了仙人，仙人送给他一把神斧。他打败了凶恶的二郎神，来到了华山脚下。

望着高耸入云的华山，想到就要跟日思夜想的妈妈见面了，沉香心里无比激动。他举起神斧，奋力向大山劈去。只听"轰隆"一声巨响，大山被劈成了两半，受苦多年的妈妈重见了天日。沉香一头扑进了妈妈的怀抱。

课文

jiàn pěng hén fǔ hōng lōng
涧 捧 痕 斧 轰 隆

刀

jiù	qiè	biàn	guǒ	chōng	xiào	xiān	bài	xiōng	è
救	切	便	果	充	孝	仙	败	凶	恶

1 默读课文，讲讲沉香救母的故事。

2 说说下面偏旁的名称，再按笔顺描红。

刀	切	一	七	切	切
凶	丿	乂	凶	凶	

切	凶	仙	充	孝	败	果	便	恶	救

3 读读词语。

遥远　感动　转眼间　高耸入云
孝心　激动　不在乎　日思夜想

4 "沉香一头扑进了妈妈的怀抱"，想象一下，这时他

们会说些什么？

12 木兰从军

我国古代有一位女英雄，

名叫花木兰。

那时候，北方经常发生战争。一天，朝廷下达了紧急征兵的文书。木兰见到上面有父亲的名字，焦急万分。她想：父亲年老多病，难以出征；
弟弟又小，还不够当兵的年龄。
自己理应为国为家分忧。她说
服了家人，女扮男装，替父从军。

木兰告别了亲人，披战袍，
跨骏马，渡黄河，过燕山，来到
了前线。在多年征战中，她为国
立下了赫赫战功。

木兰胜利回乡后，脱下了
战袍，穿上了心爱的女装。将士
们前来探望她，这才惊讶地发

xiàn xī rì yīng yǒng shàn zhàn de huā jiāng jūn jìng
现，昔日英勇善战的花将军，竟

shì wèi wén jìng jùn měi de gū niang
是位文静俊美的姑娘。

tíng líng bàn páo dù yān hè jiāng
廷 龄 扮 袍 渡 燕* 赫 将*

疒

zhēng	bīng	fù	bìng	dì	nán	shèng	lì	jiàng
征	兵	父	病	弟	男	胜	利	将

1 朗读课文，背诵课文。

2 说说下面偏旁的名称，再按笔顺描红。

| 将 | 、 | ⺀ | ⺘ | ⺘ | 㸲 | 㸲 | 㸲 | 将 | 将 |
| 疒 | 病 | 、 | 亠 | 广 | 广 | 疒 | 疒 | 疒 | 病 | 病 | 病 |

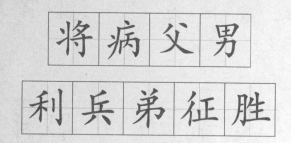

将 病 父 男

利 兵 弟 征 胜

3 读读，抄抄，再听写。

征兵　　将士　　文书
从军　　胜利　　父亲

4 用部首查字法查"廷、康、起"三个字。

5 展开想象，说说木兰是怎样说服家人的，然后用几
句话写下来。

练 习 4

学用字词句

● 下面是一幅"老牛舐犊"图。"舐"、"犊"两个字没

学过，让我们查查字典，先读准它们的音。

● "舐"和"犊"字典上是怎么解释的？那么，"老牛

舐犊"是什么意思呢？

● 你想对小牛说些什么呢？把你想说的话写在图中的

对话框里。

✋ 写好铅笔字

桑	桑	桑	桑		
根	根	根	根		
柳	柳	柳	柳		

小问号：

这几个字中都有"木"，写法一样吗？

👁 读读背背

<table>
<tr><td>shì</td><td>dú</td><td>zhī</td><td>ài</td><td>wū</td><td>niǎo</td><td>sī</td><td>qíng</td></tr>
<tr><td>舐</td><td>犊</td><td>之</td><td>爱</td><td>乌</td><td>鸟</td><td>私</td><td>情</td></tr>
<tr><td>tiān</td><td>lún</td><td>zhī</td><td>lè</td><td>qí</td><td>lè</td><td>wú</td><td>qióng</td></tr>
<tr><td>天</td><td>伦</td><td>之</td><td>乐</td><td>其</td><td>乐</td><td>无</td><td>穷</td></tr>
</table>

说说写写

可爱的动物

观察一种生活中常见的动物,说说它的样子,再用几句话写下来。

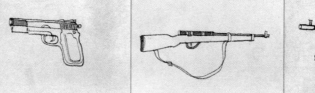

5

shǒu qiāng	bù qiāng	jī qiāng
手枪	步枪	机枪
zhàn gǎng	xún luó	xún háng
站岗	巡逻	巡航
fēi jī	qián tǐng	dǎo dàn
飞机	潜艇	导弹
shào suǒ	lǐng kōng	hǎi jiāng
哨所	领空	海疆

<table>
<tr><td colspan="3" align="center">luó   tǐng   jiāng</td></tr>
<tr><td align="center">逻</td><td align="center">艇</td><td align="center">疆</td></tr>
</table>

巳

gǎng	xún	háng	dǎo	dàn	shào
岗	巡	航	导	弹	哨
岗	巡	航	导	弹	哨

◇ 6 ◇

shī zi	dà xiàng	lǎo hǔ
狮子	大象	老虎

xiān hè	kǒng què	yīng wǔ
仙鹤	孔雀	鹦鹉

hóu zi	xīng xing	mí lù
猴子	猩猩	麋鹿

bān mǎ	zōng xióng	dài shǔ
斑马	棕熊	袋鼠

shī	hóu	xīng	lù	bān	dài
狮	猴	猩	鹿	斑	袋

狮	猴	猩	鹿	斑	袋

	示	礻
	衣	衤

shén huà
神话

zhù fú
祝福

zǔ xiān
祖先

qún zi
裙子

kù zi
裤子

chèn shān
衬衫

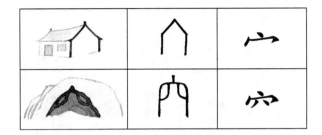

jiào shì	niǎo wō
教室	鸟窝
zhù zhái	chuāng hu
住宅	窗户
jiā tíng	kū long
家庭	窟窿

fú	qún	kù	chèn	shān	shì	zhái	tíng	wō	hù
福	裙	裤	衬	衫	室	宅	庭	窝	户
福	裙	裤	衬	衫	室	宅	庭	窝	户

8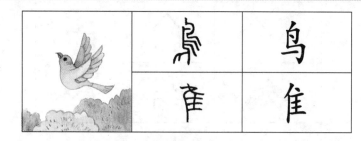

乌

鸟

隹

wū yā	hǎi ōu	dù juān
乌鸦	海鸥	杜鹃

má què	lǎo diāo	dà yàn
麻雀	老雕	大雁

隹

yā	dù	diāo	yàn	lǎng	yāo	tī	tuǐ	xiōng
鸦	杜	雕	雁	朗	腰	踢	腿	胸

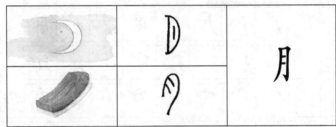

míng liàng	qíng lǎng	méng lóng
明亮	晴朗	朦胧
wān yāo	tī tuǐ	tǐng xiōng
弯腰	踢腿	挺胸

鸦	杜	雕	雁	朗	腰	踢	腿	胸

练习

练习 5

认清笔顺

巳	导	⁊	⁊	巳	旦	导	导			
	巡	⟨	⟪	⟪⟪	⟪⟪⟪	巡	巡			
	弹	⁊	⁊	弓	弓	弓ˊ	弓ˊˊ	弨	弲	弲	弹 弹
	猴	⁄	犭	犭	犭	犳	犷	犷	狣	猴	猴 猴
	鹿	广	庐	庐	庐	鹿	鹿	鹿	鹿		
	斑	一	二	干	王	珏	珏	玡	玟	斑	
	窝	`	八	宀	宀	宀	官	宫	窝	窝	窝
	裙	`	㇇	礻	礻	礻	衤	衤	衤	裙	
	福	`	㇇	礻	礻	礻	衤	祀	祸	祸	福 福
	胸	月	肜	肋	肑	肑	胸	胸			
	雁	厂	厂	厈	厈	厈	厈	雁	雁		
隹	雕	周	冑	冑	冑	冑	冑	雕	雕		

学用字词句

● 读读下面这首儿歌，懂得这几个标点的用法。

> 句中有停顿，加只小蝌蚪(，)。
> 一句话说完，画个小圆圈(。)。
> 疑惑或发问，耳朵坠耳环(?)。
> 命令或感叹，滴水下屋檐(!)。

● 加标点，再分角色读一读，有不认识的字查查字典。

小昆　这节电池没电了 我把它扔了吧
爸爸　不能扔　乱扔电池危害可大啦　一节小
　　　小的电池如果扔到水里　就会把水污染了
小昆　把它烧掉行不行呢
爸爸　不行　这样会污染空气的
小昆　那该怎么办呢
爸爸　要送到废电池
　　　回收处

写好铅笔字

凶	凶	凶	凶	
巡	巡	巡	巡	
廊	廊	廊	廊	

小窍门：

被包围的部分，要写得半藏半露。

读读背背

mó quán cā zhǎng
摩拳擦掌

shēng lóng huó hǔ
生龙活虎

shēn qiáng lì zhuàng
身强力壮

tóng jīn tiě gǔ
铜筋铁骨

zǐ shǔ　　chǒu niú　　yín hǔ　　mǎo tù
子 鼠　　丑 牛　　寅 虎　　卯 兔

chén lóng　　sì shé　　wǔ mǎ　　wèi yáng
辰 龙　　巳 蛇　　午 马　　未 羊

shēn hóu　　yǒu jī　　xū gǒu　　hài zhū
申 猴　　酉 鸡　　戌 狗　　亥 猪

口语交际

教你玩游戏

你玩过哪些游戏？请选择一个有趣的游戏，教大家玩一玩。要注意说清楚游戏的名称和玩的方法。

13 学棋 xué qí

古时候，有一位下围棋的能手，名叫秋，他的棋艺远近闻名。

有两个学生拜秋为师，跟他学下棋。一个学生专心致志，一边听一边看老师在棋盘上布子，有不明白的地方还要问上几句。另一个学生呢，听着听着

就走了神儿，好像看到一只美丽的天鹅正从远处飞来。他想，要是用弓箭把它射下来该有多好哇！想着想着，双手不由得做出了拉弓射箭的动作。老师发现了，提醒他注意听讲。可他只听了一会儿，又去想别的事了。

后来，一个学生成了出色的棋手，而另一个学生棋艺一直没有多大长进。

qí	wéi	néng	zhuān	zhì
棋	围	能	专	致

lìng	é	gōng	jiàn	zuò
另	鹅	弓	箭	作

1 朗读课文。

2 说说下面偏旁的名称，再按笔顺描红 。

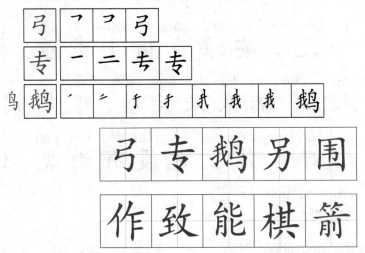

弓	ㄱ	ㄋ	弓				
专	一	二	专	专			
鹅	ノ	⺈	孑	手	我	我	我	鹅

弓	专	鹅	另	围

作	致	能	棋	箭

3 读读，抄抄，再听写。

围棋　　天鹅　　能手　　专心致志

棋艺　　弓箭　　长进　　远近闻名

4 默读课文，说说两个学生跟同一个老师学下围

棋，为什么学的结果不一样？

14 "黑板"跑了

两百多年前，法国有个著名的物理学家叫安培，他搞科学研究非常专心。

有一天，安培在街上散步。街上的行人、车辆来来往往，很热闹。可是安培好像什么也没有看见，什么也没有听见，只顾低着头朝前走。原来，他正在思考一道数学题。

开始他在心算,用手指头在自己衣襟上画呀画的,后来觉得需要找个地方来计算一下才行。说来也巧,街道旁正好竖着一块"黑板",好像特地为他准备的。太好了! 安培高兴地走过去,从口袋里掏出粉笔,在"黑板"上演算起来。

算着算着,这块"黑板"动了

起来，慢慢地向前移。安培忙说："别动，别动，再等一会儿就得到结果了!"可是"黑板"还在向前移动，安培不由自主地跟着"黑板"走，继续聚精会神地演算着。

后来，那块"黑板"越走越快，安培觉得自己快追不上了。这时他才发现，那不是一块黑板，而是一辆马车车厢的后壁。

辆　顾　襟　掏　继　续　厢　壁

老

péi	gǎo	kǎo	shǐ	yī	jì	bèi	fěn	yí	ér
培	搞	考	始	衣	计	备	粉	移	而

1　默读课文，讲讲这个故事。

2　说说下面偏旁的名称，再按笔顺描红。

耂　考 | 一 | 十 | 土 | 耂 | 耂 | 考

考	计	而	衣	备
始	粉	培	移	搞

3　读读，抄抄，再听写。

开始　　思考　　移动　　粉笔
后来　　计算　　准备　　黑板

4　结合上下文说说 "聚精会神" 的意思。再找几个关于专心学习的成语，做成小书签。

15 晚上的"太阳"
wǎn shang de tài yáng

yí ge dà xuě tiān de wǎn shang ài dí
一个大雪天的晚上，爱迪
shēng de mā ma tū rán bìng le bà ba qǐng lái
生的妈妈突然病了。爸爸请来
de yī shēng shuō mā ma dé de shì jí xìng lán
的医生说，妈妈得的是急性阑

根据上海美术电影制片厂摄制的动画片《自古英雄出少年》第64
集《聪明的爱迪生》改编。

尾炎，需要马上做手术。

那时还没有电灯，油灯的光线很暗，用它照明做手术很危险。医生犹豫了。妈妈痛苦地呻吟着，爸爸无可奈何地搓着手，爱迪生站在一旁焦急地看着妈妈。时间一分一秒地过去了，爱迪生的手心攥出了汗水。突然，他眼睛一亮："医生，我有办法了！"说完，爱迪生把所有的油灯都端了出来。医生看了看，摇摇头说："这些灯围一圈挡手哇！"谁知，爱迪生又搬来一面大镜子，把油灯放在箱子上，镜子放在油灯后面。顿时，

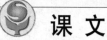

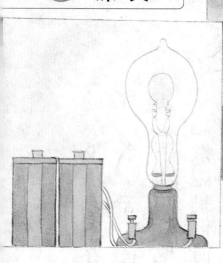

简易的"手术台"前一片光明。

医生顺利地做完了手术。他高兴地说："孩子，是你用智慧救了妈妈！"

妈妈醒来了，苍白的脸上露出了自豪的笑容。爱迪生拉着妈妈的手，一本正经地说："妈妈，要是晚上也有太阳该多好哇，我要造一个晚上的'太阳'。"

后来，爱迪生真的发明了电灯。

匚

qǐng	yī	jí	xìng	yán
请	医	急	性	炎

shù	hé	miǎo	dǎng	jiǎn
术	何	秒	挡	简

1　默读课文，讲讲这个故事。

2　说说下面偏旁的名称，再按笔顺描红。

医	性	术	何	炎

挡	秒	急	请	简

3　读读词语。

犹豫　手术　痛苦　发明　无可奈何
焦急　呻吟　自豪　智慧　一本正经

4　找一找爱迪生发明电灯的故事，再读一读。

16 "闪光的金子"
shǎn guāng de jīn zi

徐虎是上海市一个
xú hǔ shì shàng hǎi shì yí ge

普通的水电修理工。
pǔ tōng de shuǐ diàn xiū lǐ gōng

1985年的一天,徐虎在不
nián de yì tiān　　xú hǔ zài bù

同的地段挂起了三只"特约服
tóng de dì duàn guà qi le sān zhī　tè yuē fú

务箱"。箱上写着:凡附近居民水
wù xiāng　xiāngshang xiě zhe fán fù jìn jū mín shuǐ

电出现故障,急需当天夜晚修
diàn chū xiàn gù zhàng　jí xū dàng tiān yè wǎn xiū

理的,请写清地址投入箱内,本
lǐ de　qǐng xiě qīng dì zhǐ tóu rù xiāng nèi　běn

人将及时提供热情服务。开箱
rén jiāng jí shí tí gōng rè qíng fú wù　kāi xiāng

时间19时。
shí jiān　shí

从那以后,他每天总是定
cóng nà yǐ hòu　tā měi tiān zǒng shì dìng

时开箱,然后骑着自行车,带着
shí kāi xiāng rán hòu qí zhe zì xíng chē dài zhe

gōng jù xiāng àn zhǐ tiáo shang tí gōng de dì zhǐ
工具箱，按纸条上提供的地址，

āi jiā āi hù shàng mén xiū lǐ
挨家挨户上门修理。

yì tiān wǎn shang xú hǔ cóng xiāng zi li
一天晚上，徐虎从箱子里

qǔ chu wǔ zhāng zhǐ tiáo dāng tā zuò wán dì sì
取出五张纸条。当他做完第四

jiā de huó gǎn dào dì wǔ jiā shí yǐ jing shì
家的活赶到第五家时，已经是

yè wǎn diǎn duō zhōng le zhǔ rén jiàn xú hǔ
夜晚10点多钟了。主人见徐虎

dài zhe shēn dù jìn shì yǎn jìng tiān yòu tài wǎn
戴着深度近视眼镜，天又太晚

le jiù quàn tā míng tiān zài gàn kě xú hǔ kàn
了，就劝他明天再干。可徐虎看

dào chōu shuǐ mǎ tǒng li
到抽水马桶里

de wū shuǐ zhèng gū
的污水正"咕

dū gū dū de wǎng
嘟咕嘟"地往

wài mào xīn li hěn
外冒，心里很

zháo jí biàn shuō zhè
着急，便说："这

是总管道堵塞了，不能再耽搁。"
说着就爬上楼顶干了起来，直
到凌晨两点多钟才将管道疏通。

许多年来，徐虎利用休息
时间走遍了千家万户，给大家
带来了方便。人们都说他的一
颗心像"闪光的金子"。

duàn	fù	zhàng	dài	wū	gū
段	附	障	戴	污	咕

xú	xiū	wù	fán	nèi	gōng	jù	àn	zhǐ	qǔ
徐	修	务	凡	内	供	具	按	纸	取

1 朗读课文。

2 按笔顺描红。

务	ノ	ク	冬	冬	务			
具	丨	冂	冂	目	目	且	具	具

务	具	凡	内	纸	取	供	按	修	徐

3 读读词语。

提供　故障　堵塞　凌晨　千家万户

特约　急需　耽搁　疏通　挨家挨户

4 读一读，用带点的词语造句。

(1) 天已经黑了。

(2) 我已经是一名少先队员了。

(3) 当他做完第四家的活赶到第五家时，
已经是夜晚10点多钟了。

练习 **6**

学用字词句

● 这是一幅有趣的文字画，你能看得出图画是由几个
古文字组成的吗？照样子在田字格里把相应的字写
出来。

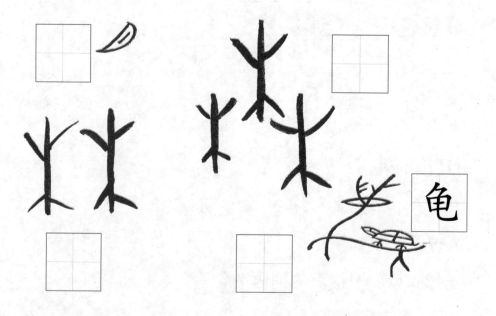

● 根据画面内容，发挥想象，编一个小故事，讲给大
家听听。

写好铅笔字

衤	衤	衤	衤		
移	移	移	移		
秒	秒	秒	秒		

小建议：

这么多撇怎么写？注意写好主撇。

 读读背背

shēn shēn xué zǐ　　zūn shī zhòng dào
莘　莘　学　子　　尊　师　重　道

chéng mén lì xuě　　rú zǐ kě jiào
程　门　立　雪　　孺　子　可　教

dú shū bǎi biàn
读书百遍，

qí yì zì xiàn
其义自见。

dú shū pò wàn juàn
读书破万卷，

xià bǐ rú yǒu shén
下笔如有神。

dú shū yào sān dào
读书要"三到"：

xīn dào   yǎn dào   kǒu dào
心到、眼到、口到。

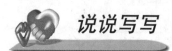
说说写写

你喜欢吃什么水果？先仔细观察一下它的形状、颜色，再尝尝味道怎么样。将看到的和感觉到的说一说，并用几句话写下来。

gē chàng èr xiǎo fàng niú láng

17 歌唱二小放牛郎

niú er hái zài shān pō chī cǎo
牛儿还在山坡吃草，

fàng niú de què bù zhī dào nǎ er qù le
放牛的却不知道哪儿去了。

bú shì tā tān wán shuǎ diū le niú
不是他贪玩耍丢了牛，

nà fàng niú de hái zi wáng èr xiǎo
那放牛的孩子王二小。

jiǔ yuè shí liù nà tiān zǎo shang
九月十六那天早上，

dí rén qù yì tiáo shān gōu sǎo dàng
敌人去一条山沟"扫荡"。

shān gōu li qián fú zhe hòu fāng jī guān
山沟里潜伏着后方机关，

hái yǐn cáng zhe jǐ qiān ge lǎo xiāng
还隐藏着几千个老乡。

作者方冰。

dí rén kuài yào zǒu dào shān kǒu
敌人快要走到山口，

hūn tóu hūn nǎo de mí shī le fāng xiàng
昏头昏脑地迷失了方向。

zhuā zhù le èr xiǎo jiào tā dài lù
抓住了二小叫他带路，

tā jiǎ zhuāng shùn cóng zì yǒu zhǔ zhāng
他假装顺从自有主张。

wáng èr xiǎo dài lù zǒu zài qián mian
王二小带路走在前面，

bǎ dí rén lǐng jìn wǒ men de mái fú quān
把敌人领进我们的埋伏圈。

sì xià li pīng pīng pāng pāng xiǎng qǐ le qiāng shēng
四下里"乒乒乓乓"响起了枪声，

dí rén cái zhī dào shòu le piàn
敌人才知道受了骗。

dí rén bǎ èr xiǎo tiǎo zài qiāng jiān
敌人把二小挑在枪尖，

shuāi sǐ zài dà shí tou de shàng mian
摔 死 在 大 石 头 的 上 面。
bā lù jūn zhàn shì cóng shān shang chōng xia lai
八 路 军 战 士 从 山 上 冲 下 来，
fù chóu de zǐ dàn jiāng dí rén xiōng táng shè chuān
复 仇 的 子 弹 将 敌 人 胸 膛 射 穿。

qiū fēng chuī biàn le měi ge cūn zhuāng
秋 风 吹 遍 了 每 个 村 庄，
bǎ zhè dòng rén de gù shi dào chù chuán yáng
把 这 动 人 的 故 事 到 处 传 扬。
měi yí ge lǎo xiāng dōu yǎn hán rè lèi
每 一 个 老 乡 都 眼 含 热 泪，
gē chàng zhe èr xiǎo fàng niú láng
歌 唱 着 二 小 放 牛 郎。

gōu yǐn zhuā pīng pāng piàn shuāi táng
沟 隐 抓 乒 乓 骗 摔 膛

wáng	dí	guān	mí	shùn
王	敌	关	迷	顺

mái	sǐ	zhàn	chóu	yáng
埋	死	战	仇	扬

1 朗读课文，背诵课文。

2 按笔顺描红。

扬	一	十	扌	扝	扬	扬
死	一	厂	歹	歹	死	死

扬	死	王	仇	关

战	顺	迷	埋	敌

3 读读，抄抄，再听写。

敌人　　迷失　　埋伏　　顺从

战士　　机关　　主张　　传扬

4 课后学唱《歌唱二小放牛郎》。

18 niǎo dǎo
鸟　岛

　　qīng hǎi hú xī bù yǒu yí ge jiào hǎi
青海湖西部有一个叫"海

xī pí de xiǎo dǎo nà jiù shì wén míng zhōng wài
西皮"的小岛，那就是闻名中外

de qīng hǎi hú niǎo dǎo
的青海湖鸟岛。

　　měi nián chūn tiān tiān qì biàn nuǎn hú shuǐ
每年春天，天气变暖，湖水

jiě dòng yì qún yì qún de niǎo er jiù lù xù
解冻，一群一群的鸟儿就陆续

cóng yuǎn fāng fēi lái tā men zài zhè li zhù cháo
从远方飞来。它们在这里筑巢

ān jiā yǎng yù hòu dài
安家，养育后代。

　　liù yuè shì niǎo dǎo zuì rè nao de shí hou
六月是鸟岛最热闹的时候，

gè zhǒng gè yàng de niǎo er jù zài yì qǐ xiǎo
各种各样的鸟儿聚在一起，小

岛成了鸟的世界。一眼望去，密密麻麻的鸟窝一个挨着一个。窝里窝外，到处是玉白色的、青绿色的鸟蛋。

来岛上游玩的人很多。他们伸手就能捉到幼鸟，随处都能拾到鸟蛋，可是却没有人去碰一下，因为大家都知道鸟是人类的朋友。

bù	zhù	yù	mì	yù	shí	lèi
部	筑	育	密	玉	拾	类

1 朗读课文，背诵课文。

2 按笔顺描红。

玉	一	二	干	王	玉				
密	丶	丷	宀	广	宓	宓	宓	宓	宓	密

玉	密	育	拾	类	部	筑

3 读读，抄抄，再听写。

伸手　　养育　　青海　　闻名中外

因为　　人类　　鸟岛　　密密麻麻

4 读读句子。

(1) 因为大家都知道鸟是人类的朋友，所以没有人
去碰幼鸟和鸟蛋。

(2) 没有人去碰幼鸟和鸟蛋，因为大家都知道鸟是
人类的朋友。

19 台湾的蝴蝶谷

　　祖国的宝岛台湾气候温暖，水源充足，花草茂盛，是蝴蝶生长的好地方。

　　台湾的山多，山谷也多。每年春季，一群群色彩斑斓的蝴蝶飞过花丛，穿过树林，越过小溪，赶到山谷里来聚会。人们就把这些山谷叫做蝴蝶谷。

蝴蝶谷里的景象非常迷人。

有的山谷里只有一种黄颜色的

蝴蝶，在阳光的照耀下，金光灿

灿，十分壮观。有的山谷里有

几种蝴蝶，上下翻飞，五彩缤

纷，就像谁在空中撒了一把把

五颜六色的花瓣，随风飘来，又

随风飘去。

蝴蝶谷吸引了大批中外游客。人们一到这里，立刻就会被翩翩起舞的蝴蝶团团围住。这些小精灵是在欢迎前来参观的客人哩。

yào	bīn	fēn	bàn	piān
耀	缤	纷	瓣	翩

zǔ	yuán	mào	jì
祖	源	茂	季

cóng	gǎn	jǐng	sǎ	pī
丛	赶	景	撒	批

1 朗读课文，背诵课文。

2 按笔顺描红。

茂	艹	艹	芦	芅	茂	茂			
赶	一	十	土	丰	丰	非	走	走	赶

茂	赶	丛	批	季	祖	景	源	撒

3 读读下面的词语。你还能找几个描写色彩的词语吗？

绿油油　金光灿灿　五颜六色　色彩斑斓

4 读读句子。

(1) 蝴蝶飞过花丛，穿过树林，越过小溪，赶到
　　山谷里来聚会。

(2) 木兰告别了亲人，披战袍，跨骏马，渡黄河，
　　过燕山，来到了前线。

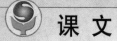

20　欢乐的泼水节
huān lè de pō shuǐ jié

xī shuāng bǎn nà de fèng huáng huā kāi le
西双版纳的凤凰花开了，
dǎi zú rén mín yíng lái le yì nián yí dù de pō
傣族人民迎来了一年一度的泼
shuǐ jié
水节。

zhè yì tiān rén men tí zhe tǒng duān zhe
这一天，人们提着桶，端着

pén zǎo zǎo de lái dào le dà jiē shang dà jiē
盆，早早地来到了大街上。大街

de liǎng páng zǎo yǐ zhǔn bèi hǎo le qīng shuǐ qīng
的两旁早已准备好了清水，清

shuǐ li yǒu de dī shang xiāng shuǐ yǒu de sǎ shang
水里有的滴上香水，有的撒上

huā bàn kāi shǐ pō shuǐ le dà jiā hù xiāng zhuī
花瓣。开始泼水了，大家互相追

gǎn nǐ ná piáo wǎng wǒ yī lǐng li guàn wǒ
赶，你拿瓢往我衣领里灌，我

端盆向你身子上泼。老人、孩子、姑娘、小伙儿，个个身上湿淋淋，人人脸上笑开了花。清水是吉祥如意的象征，谁身上泼的水多，就意味着谁得到的幸福多，怎么能不高兴呢！

地上铺满了火红的凤凰花瓣，空中回响着欢乐的象脚鼓点。大家唱着歌，跳着舞，赛起了龙舟，放起了烟火，直到深夜还不肯离去。

bǎn	nà	fèng	huáng	piáo
版	纳	凤	凰	瓢

pō	tǒng	hù	jí	xiáng
泼	桶	互	吉	祥
rú	wèi	xìng	kěn	lí
如	味	幸	肯	离

1 朗读课文，背诵课文。

2 按笔顺描红。

| 互 | 一 | 工 | 互 | 互 | | | | |
| 离 | 丶 | 亠 | 亠 | 文 | 区 | 卤 | 卤 | 离 离 离 |

| 互 | 离 | 吉 | 如 | 幸 | 味 | 肯 | 泼 | 祥 | 桶 |

3 读读，抄抄，再听写。

幸福　　香水　　一年一度

吉祥　　象征　　不肯离去

4 泼水节是傣族的传统节日，你还知道其他少数民族的传统节日吗？

5 用部首查字法查"互、民、乐"三个字。

练习 7

学用字词句

● 读一读下面关于石林风情的词语。如果有不认识的字就查查字典，注上拼音。

撒尼　　　　少女　　　　阿诗玛

石笋　　　　石柱　　　　石屏风

歌舞　　　　狂欢　　　　火把节

火树　　　　银花　　　　不夜城

● 你知道吗？

1　"石林"在什么地方？为什么叫它"石林"？

2　"阿诗玛"是什么人？

3　"火把节"是怎么一回事？

写好铅笔字

朋	朋	朋	朋
竹	竹	竹	竹
斑	斑	斑	斑

小提示：

一个字里有相同的部件，写法不一样。

读读背背

gǎn rén fèi fǔ
感 人 肺 腑

kě gē kě qì
可 歌 可 泣

jiān kǔ zhuó jué
艰 苦 卓 绝

jīng tiān dòng dì
惊 天 动 地

jiāng nán hǎo
江 南 好

jiāng nán hǎo
江南好，

fēng jǐng jiù céng ān
风景旧曾谙。

rì chū jiāng huā hóng shèng huǒ
日出江花红胜火，

chūn lái jiāng shuǐ lù rú lán
春来江水绿如蓝，

néng bù yì jiāng nán
能不忆江南？

bái jū yì
（白居易）

口语交际

学 会 转 述

　　二(1)班老师通知大家：明天下午，班级举行树叶贴画比赛，要求同学带齐彩笔、胶水、剪刀、白纸和采集来的树叶。李响请假了，没有到校。如果老师请你把上面的通知内容转告给他，你见到他该怎样说？

21 真想变成大大的荷叶

夏天来了，
夏天是位小姐姐。
她热情地问我：
想变点儿什么？

我想变透明的雨滴，
睡在一片绿叶上；

作者王宜振。选作课文时文字有改动。

wǒ xiǎng biàn yì tiáo xiǎo yú
我 想 变 一 条 小 鱼，
yóu rù qīng líng líng de xiǎo hé
游 入 清 凌 凌 的 小 河。

wǒ xiǎng biàn yì zhī hú dié
我 想 变 一 只 蝴 蝶，
zài huā cóng zhōng chuān suō
在 花 丛 中 穿 梭；
wǒ xiǎng biàn yì zhī guō guo
我 想 变 一 只 蝈 蝈，
gē chàng wǒ men de shēng huó
歌 唱 我 们 的 生 活。

wǒ xiǎng biàn zhǎ yǎn de xīng xing
我 想 变 眨 眼 的 星 星，
wǒ xiǎng biàn wān wān de xīn yuè
我 想 变 弯 弯 的 新 月。

zuì hòu
最后，

wǒ kàn jian xiǎo xiǎo de hé táng
我 看 见 小 小 的 荷 塘，

zhēn xiǎng biàn chéng dà dà de hé yè
真 想 变 成 大 大 的 荷 叶。

hé yè xiàng yì bǐng dà sǎn
荷 叶 像 一 柄 大 伞，

jìng jìng de zài hé táng jǔ zhe
静 静 地 在 荷 塘 举 着。

xiǎo yú lái le
小 鱼 来 了，

zài hé yè xià xī xì
在 荷 叶 下 嬉 戏，

yǔ diǎn lái le
雨 点 来 了，

zài hé yè shang chàng gē
在 荷 叶 上 唱 歌……

suō xī
梭 嬉

rè	tòu	yóu	zhǎ	bǐng	sǎn	zhe	xì
热	透	游	眨	柄	伞	着	戏

1 朗读课文，背诵课文。

2 按笔顺描红。

戏	フ	又	又	戏	戏	戏

戏	伞	柄	眨	热	透	着	游

3 读读，抄抄，再听写。

绿叶 　　眨眼 　　花丛 　　静静地
荷塘 　　大伞 　　唱歌 　　弯弯的

4 夏天来了，你想变成什么呢？

22 猴子种果树

猴子种了一棵梨树苗，天天浇水、施肥，等着将来吃梨子。

正当梨树成活的时候，一只乌鸦"哇哇"地对猴子说："猴哥，猴哥，你怎么种梨树

呢？有句农谚，'梨五杏四'。梨树要等五年才能结果，你有这个耐心吗？"

猴子一想："对，五年太长，我可等不及。"于是就拔掉梨树，改种杏树。

正当杏树成活的时候，一只喜鹊"喳喳"地对猴子说："猴哥，猴哥，你怎么种杏树呢？有句农谚，'杏四桃三'。杏树四年才能结果，你能等得及吗？"

猴子一想："对，四年太长，我也等不及。"于是就拔掉了杏树，改种桃树。

正当桃树成活的时候，一只杜鹃"咕咕"地对猴子说："猴哥，猴哥，你怎么种桃树呢？有句农谚，'桃三樱二'。种桃树再短也得三年才结果，你不着急吗？"

猴子一想："对，三年也太长，我还是等不及。"于是就拔掉桃树，改种樱桃树。

猴子哪里知道，"樱桃好吃树难栽"，一连几年都没有栽活。

就这样，这只猴子什么树也没种成。

yàn	què	zhā	yīng	zháo
谚	鹊	喳	樱	着*

zhòng	jiāo	shī	féi	nài	xiǎng	bá	gǎi	xǐ
种	浇	施	肥	耐	想	拔	改	喜

1　朗读课文。

2　按笔顺描红。

肥	丿	刀	月	月	刖	刖	刖	肥
浇	丶	冫	氵	汁	泸	浅	洚	浇

肥	浇	改	拔	耐	种	施	喜	想

3　读读，抄抄，再听写。

耐心　　　浇水　　　拔掉　　　等不及

成活　　　施肥　　　改种　　　不着急

4　默读课文，说说为什么这只猴子什么树也没种成。

5　演一演这个童话故事。

23 会走路的树

春天的早晨，一棵金色的小树在树林里走来走去。小鸟看见了，好奇地问："你能让我到你身上坐一坐吗？"

"当然可以。来吧！"小树带着小鸟玩了好一会儿，才把小鸟送回家。

从这以后，这棵树天天来陪小鸟。小

作者陶琼花。选作课文时文字有改动。

鸟跟着他去了许多地方，看见了许多有趣的东西。

终于有一天，小鸟长大了，她向这棵树告别，飞往远方……

第二年春天，小鸟又回来了。一头美丽的小鹿走了过来，金色的角在阳光下显得特别好看。

"你也是一棵会走路的树吗？"小鸟问。

"对呀，人们都叫我驯鹿。"小驯鹿抬起头来，"你大概就是我爸爸常常提起的那只小

niǎo ba
鸟 吧？"

qù nián de nà kē shù　　yuán lái shì
"去 年 的 那 棵 树， 原 来 是

nǐ de bà ba ya　　　xiǎo niǎo jiào qi lai
你 的 爸 爸 呀！" 小 鸟 叫 起 来。

shì de　　shì de　　　xiǎo xùn lù yě jī
"是 的！ 是 的！" 小 驯 鹿 也 激

dòng qi lai　　　tā ràng xiǎo niǎo tíng zài tā jīn sè
动 起 来。 他 让 小 鸟 停 在 他 金 色

de jiǎo shang xiàng zì jǐ de jiā kuài bù zǒu qù
的 角 上， 向 自 己 的 家 快 步 走 去。

lù	chén	qí	sòng	péi	qù	jiǎo	gài	jī
路	晨	奇	送	陪	趣	角	概	激

1 朗读课文。

2 按笔顺描红。

角	⺈	⺈	⺈	角	角	角	角
陪	⻖	⻖	⻖	⻖	⻖	陪	陪	陪	陪

角	陪	奇	送	晨	路	概	趣	激

3 读读，抄抄，再听写。

早晨　　当然　　美丽　　好奇

告别　　有趣　　好看　　大概

4 续讲故事。

　"小鸟来到小驯鹿的家……"

24 问银河

银河呀，在你清澈的河水
里，有鱼儿和水草吗？有戏水的
小朋友吗？

银河呀，在你宽阔的河道
里，有南来北往的客轮和伸着
"大鼻子"的货船吗？它们也需

yào háng biāo dēng yǐn lù ma
要航标灯引路吗？

yín hé ya　　zài nǐ kuān guǎng de hé miàn
银河呀，在你宽广的河面

shang yǒu xióng wěi de xié lā qiáo ma niú láng zhī
上，有雄伟的斜拉桥吗？牛郎织

nǚ néng jīng cháng zài qiáo shang xiāng huì ma
女能经常在桥上相会吗？

yín hé ya　　zài nǐ de shàng yóu yǒu lán
银河呀，在你的上游有拦

hé dà bà ma　　yǒu gě zhōu bà nà yàng de shuǐ
河大坝吗？有葛洲坝那样的水

lì fā diàn zhàn ma
力发电站吗？

yín hé ya　　wǒ hái yǒu hǎo duō hǎo duō
银河呀，我还有好多好多

de wèn tí yào wèn nǐ　zǒng yǒu yì tiān　wǒ yào
的问题要问你。总有一天，我要

jià shǐ zhe zhōng guó de yǔ zhòu fēi chuán　dào nǐ
驾驶着中国的宇宙飞船，到你

nà er qù zuò kè ne
那儿去作客呢！

kuān	kuò	huò	jià
宽	阔	货	驾

yín	lún	láng	xiāng	lán	bà	yǔ	zhòu
银	轮	郎	相	拦	坝	宇	宙

1　朗读课文，背诵课文。

2　按笔顺描红。

轮	一	七	车	车	牟	轩	轮	轮
郎	`	㇇	㇈	㇈	自	良	良	郎

轮　郎　宇　坝　拦　宙　相　银

3　读读词语。

清澈　　宽广　　驾驶　　南来北往

雄伟　　宽阔　　需要　　宇宙飞船

4　你见过"斜拉桥"和"拦河大坝"吗？大家都来画一画，看谁画得好。

5　你还有什么问题问银河吗？像课文那样写下来。

练习 8

学用字词句

● 赵小伟为了发动大家保护青蛙，将下面这段资料抄在了黑板报上。请你先读一读。如果有生字，就查查字典。

庄稼的保护神

青蛙头的两侧有一对圆而突出的眼睛，视觉很敏锐，能迅速发现飞来的虫子。青蛙的嘴巴里有一条灵活的舌头，舌根生在下颌的前端，舌尖分叉。捕捉虫子时，舌尖迅速翻射出口外，粘住小虫，卷入口中，常常是百发百中。青蛙不光吃蚊子、苍蝇，还大量捕食蛾、稻飞虱等农业害虫，所以人们称它为"庄稼的保护神"。

● "粘住小虫，卷入口中，常常是百发百中"，两个"中"字的读音一样吗？

● 赵小伟还画了一幅有趣的漫画。看了这幅画，你明白了什么道理？有什么感想？先说一说，再用几句话写下来。

写好铅笔字

丽	丽	丽	丽		
言	言	言	言		
互	互	互	互		

小窍门：
　　这几个字，写好长横是关键。

练习

 读读背背

pī xīng dài yuè	liú xīng gǎn yuè
披星戴月	流星赶月

zhòng xīng pěng yuè	hōng yún tuō yuè
众星捧月	烘云托月

说说写写

你希望未来的交通工具是什么样的？展开想象画一画，再用几句话写一写。

生 字 表

	jiǎo	bài	sǎo	mù	tà	duān	tuán	yuán	bǐng		
1	饺	拜	扫	墓	踏	端	团	圆	饼		

	bì	fēng	yǐng	bí	luò	tuó	jià	láng		róng	fá
2	碧	峰	影	鼻	骆	驼	架	廊	/	榕	筏

	bǎi	yáng	liǔ	yǐ	yāng	lán	chá	bō	luó		kuài
3	柏	杨	柳	椅	秧	篮	茶	菠	萝	/	筷

	shài	miáo	dòng		liàng						
4	晒	瞄	冻	/	晾						

	nǎi	suí	qián	rùn	xì	xiǎo	mián		tí		
1	乃	随	潜	润	细	晓	眠	/	啼		

	cán	gū	niáng	sāng	jiù	huàn	pàng	gài	xiǎng		luǎn
2	蚕	姑	娘	桑	旧	换	胖	盖	响	/	卵
	shang	shòu	jiǎn	é							
	裳	瘦	茧	蛾							

	wān	rào	huǎn	yìng	xiàng	làn	zhāo	pō			
3	湾	绕	缓	映	像	烂	朝	坡			

	yàn	jīn	hè	ài	xī	jiàn	kāng	yǒng	gǎn	jìng	xiáng
4	艳	巾	贺	爱	希	健	康	勇	敢	敬	/ 翔

	shāo	chì	jìn	mèi	shè	fèn	duǎn	cū	yǎo		
5	梢	赤	劲	妹	射	奋	短	粗	咬		

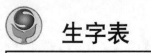
	zāo	gāo	biàn	chún							
/	糟	糕	辫	唇							

	běn	pèng	qiǎo	tuō	qiáng	xiē	shòu	guà	tuī		cuī
6	本	碰	巧	脱	强	些	受	挂	推	/	催

	jiǎng	chì	bǎng	qīng	tíng	mì	fēng	pà	jiān	yìng
7	奖	翅	膀	蜻	蜓	蜜	蜂	怕	坚	硬
	wō	shuǎi	hú	dié	guàn	wéi	kǒng			
/	蜗	甩	蝴	蝶	冠	唯	恐			

	hú	jiǎ	hǔ	wēi	xún	kàng	dǎn	zhuǎ	xià	jiè
8	狐	假	虎	威	寻	抗	胆	爪	吓	借
	cuàn	jiǎo	huá	gū	lù	chě	shòu	wéi	tàng	mèn
/	窜	狡	猾	骨	碌	扯	兽	违	趟	闷

	ēn	bǔ	zhēn	gēn	fǔ	mō	bào	chí	cùn	yǒng
9	恩	补	针	根	抚	摸	报	迟	寸	永
	mèng	féng	mù	yù	míng					
/	孟	缝	沐	浴	铭					

	tàn	hán	lèi	liáng	yīn	wèi	hèn	fù	gào	wǔ
10	叹	含	泪	良	因	为	恨	付	告	武
	là	quán	là	kù	shǔ	suān	téng	hún	zēng	tiān
/	辣	拳	腊	酷	暑	酸	疼	浑	增	添

	jiù	qiè	biàn	guǒ	chōng	xiào	xiān	bài	xiōng	è
11	救	切	便	果	充	孝	仙	败	凶	恶

		jiàn	pěng	hén	fǔ	hōng	lōng			
	/	涧	捧	痕	斧	轰	隆			

	zhēng	bīng	fù	bìng	dì	nán	shèng	lì	jiàng		tíng
12	征	兵	父	病	弟	男	胜	利	将	/	廷
	líng	bàn	páo	dù	hè						
	龄	扮	袍	渡	赫						

	gǎng	xún	háng	dǎo	dàn	shào		luó	tǐng	jiāng
5	岗	巡	航	导	弹	哨	/	逻	艇	疆

	shī	hóu	xīng	lù	bān	dài
6	狮	猴	猩	鹿	斑	袋

	fú	qún	kù	chèn	shān	shì	zhái	tíng	wō	hù
7	福	裙	裤	衬	衫	室	宅	庭	窝	户

	yā	dù	diāo	yàn	lǎng	yāo	tī	tuǐ	xiōng
8	鸦	杜	雕	雁	朗	腰	踢	腿	胸

	qí	wéi	néng	zhuān	zhì	lìng	é	gōng	jiàn	zuò
13	棋	围	能	专	致	另	鹅	弓	箭	作

	péi	gǎo	kǎo	shǐ	yī	jì	bèi	fěn	yí	ér
14	培	搞	考	始	衣	计	备	粉	移	而
	liàng	gù	jīn	tāo	jì	xù	xiāng	bì		
/	辆	顾	襟	掏	继	续	厢	壁		

	qǐng	yī	jí	xìng	yán	shù	hé	miǎo	dǎng	jiǎn
15	请	医	急	性	炎	术	何	秒	挡	简

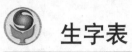

生字表

16	xú 徐	xiū 修	wù 务	fán 凡	nèi 内	gōng 供	jù 具	àn 按	zhǐ 纸	qǔ 取
/	duàn 段	fù 附	zhàng 障	dài 戴	wū 污	gū 咕				

17	wáng 王	dí 敌	guān 关	mí 迷	shùn 顺	mái 埋	sǐ 死	zhàn 战	chóu 仇	yáng 扬
/	gōu 沟	yǐn 隐	zhuā 抓	pīng 乒	pāng 乓	piàn 骗	shuāi 摔	táng 膛		

18	bù 部	zhù 筑	yù 育	mì 密	yù 玉	shí 拾	lèi 类

19	zǔ 祖	yuán 源	mào 茂	jì 季	cóng 丛	gǎn 赶	jǐng 景	sǎ 撒	pī 批
/	yào 耀	bīn 缤	fēn 纷	bàn 瓣	piān 翩				

20	pō 泼	tǒng 桶	hù 互	jí 吉	xiáng 祥	rú 如	wèi 味	xìng 幸	kěn 肯	lí 离
/	bǎn 版	nà 纳	fèng 凤	huáng 凰	piáo 瓢					

21	rè 热	tòu 透	yóu 游	zhǎ 眨	bǐng 柄	sǎn 伞	zhe 着	xì 戏
/	suō 梭	xī 嬉						

22	zhòng 种	jiāo 浇	shī 施	féi 肥	nài 耐	xiǎng 想	bá 拔	gǎi 改	xǐ 喜
	/	yàn 谚	què 鹊	zhā 喳	yīng 樱				
23	lù 路	chén 晨	qí 奇	sòng 送	péi 陪	qù 趣	jiǎo 角	gài 概	jī 激
24	yín 银	lún 轮	láng 郎	xiāng 相	lán 拦	bà 坝	yǔ 宇	zhòu 宙	
	/	kuān 宽	kuò 阔	huò 货	jià 驾				

本册共安排生字386个，其中要求写的281个。

主　　编　张　庆　朱家珑

副主编　李　亮　张广才　王美卿

责任编辑　沈晓蕾

美术编辑　张兆临

责任校对　邱元元　张　静　史春妍　刘　荃

敬告作者

　　为了编好这套教材，江苏教育出版社和苏教版小学语文教材编辑部合作，与收入本教材作品（含图片）的作者进行了广泛联系，得到了各位作者的大力支持。在此，我们表示衷心的感谢。但是，由于一些作者的姓名和地址不详，我们无法取得联系。敬请各位有著作权的作者尽快与我们联系，以便支付稿酬，并致谢忱！

联系地址：南京市湖南路1号A楼　江苏教育出版社
　　　　　　小学教育事业部　　邮编：210009

联 系 人：沈晓蕾

邮购热线：025-85400774，85406265

欢迎点击：www. 1088. com. cn

凤凰语文网 www. xxyw. com

义务教育课程标准实验教科书
语　文
二年级（下册）
主编　张　庆　朱家珑
南京凤凰母语教育科学研究所
江苏中小学教材编写服务中心　编著

出　　版：凤凰出版传媒集团
　　　　　江苏教育出版社（南京市湖南路1号A楼）
网　　址：http://www. 1088 . com . cn
集团网址：凤凰出版传媒网 http://www . ppm . cn
照　　排：上海丽佳分色制版有限公司
重　　印：山东出版集团
发　　行：山东新华书店集团
印　　刷：山东临沂新华印刷物流集团有限责任公司

开本 1000×1400 毫米　1/32　印张 4.625
2007 年 12 月第 6 版　2011 年 10 月山东第 5 次印刷

ISBN　978 - 7 - 5343 - 4900 - 3

定价：6.46 元（覆膜本）